11. 20

FEB _ _ 2006

**INDIAN TRAILS
PUBLIC LIBRARY DISTRICT**
WHEELING, ILLINOIS 60090
847-459-4100

D1456462

Serdecznie dziękuję Ewie Tyńskiej,
która wiele lat temu dała mi
swój wierszyk „Ameba".

A. Sz.

Tę książeczkę dedykuję
mojej siostrze Marcie.

A. Sz.

Ameba

    – Babciu, opowiedz mi dziś na dobranoc bajkę o jakimś zwierzęciu.

    – Dobrze. Opowiem ci bajkę-bajdurkę o małym żyjątku. Nazywa się ono ameba. Jest taka malutka, że można ją zobaczyć tylko przez mikroskop. A żyje na roślinach, w ziemi i niemal we wszystkich wodach. Ameba nie ma nóg, ale umie wytwarzać taką pojedynczą nibynóżkę, taki spód, dzięki któremu może pełzać.

    Posłuchaj, Martuniu.

Pewnej małej amebie
smutno było, że nie wiem.
Choć nie bolała jej głowa,
nie zawsze była zdrowa.
Miała też swoje kłopoty,
ale nie mówmy o tym.
Pragnęła smutna ameba
podskoczyć aż do nieba.
Jednak choć miała spód,
nie posiadała nóg,
a skakać na byle spodzie,
trudno nawet po wodzie.

Kiedyś o szarej godzinie
potknęła się na sprężynie,
która leżała na trawie,
nie wiedzieć w jakiej sprawie.
I właśnie ta sprężyna,
bardzo sprytna maszyna,
pozwoliła amebie
znaleźć się w samym niebie!

Mała radosna ameba
skakała aż do nieba,
bo choć nie miała nóg,
przecież zdarzył się cud!

5

– To było bardzo śmieszne. Ale skąd miałaś taką gotową bajkę?

– Jak to – skąd? Po prostu wymyślam bajki-
-bajdurki od czasów, kiedy twoja mama była małą dziewczynką. Nie wiedziałaś o tym?

– Babciu, ale mnie nigdy swoich bajek nie opowiadałaś.

– To prawda, Martuniu. Ja tylko czytałam ci wciąż twoje ulubione bajki, bo tak chciałaś.

– Ale mam już dosyć Czerwonego Kapturka, Śpiącej Królewny oraz Kota w Butach,
Jasia i Małgosi też. Znudziły mi się te wszystkie książkowe bajki.

– Skoro tak, to będę ci opowiadać co wieczór moje bajdurki.

Młyn

— Kiedy byłam dzieckiem, nie było ani telewizji, ani komputerów, ani internetu. Zanim poszłam do szkoły, mieszkałam u mojej babci na wsi. Bawiłam się w sadzie i w ogrodzie, a także w młynie, bo dziadzio miał młyn.

— No dobrze, babciu, ale gdzie bajka?

— Teraz będzie bajdurka o młynie. Posłuchaj.

R żą konie
znudzone czekaniem,
a ja im do uszu
szepcę bajki.
Huczy młyn
późną jesienią
i słyszę głos dziadka.

Słyszę za ścianą drewnianą,
jak myszkom zsuwają się pazurki
z ziarenek pszenicy,
jak szeleści potrącona ogonkiem gryka,
chrzęści groch zabłąkany w jęczmieniu,
zgrzyta na kamieniach kasza i piasek.

We młynie ściany pobielone,
półsenność ciepła,
worków stos,
a na nich dziadek
gładzi wąsy
i uśmiecha się
do małej wnuczki.

A u młyna konie kare,
a u młyna konie siwe
zaplatają wierzbom grzywę.

A w tym młynie, starym młynie,
diabły jazgocą w kominie.
Anioły, parobki dobre,
uwijają się ochoczo.
Mielą mąkę, mielą kaszę,
dzielą całe życie nasze
we dwa wory,
we dwa krzywe.

A od młyna, życia-młyna,
nie ubieżysz w żadną stronę,
we młynarzu masz obronę.

Bóg, staruszek z długą brodą,
chodzi, patrzy,
mysz pogłaszcze,
diabłu rogów przytrzeć musi,
aniołowi sprawdzić skrzydło.

Anioł nuci,
diabeł wrzeszczy,
Bóg zaś alleluja mruczy.

– Ładna bajka, choć bardzo dziwna. Bo ten młyn to jest trochę prawdziwy, a trochę nieprawdziwy. Ale zrozumiałam, że Bóg jest starym młynarzem, a w młynie są diabły i anioły. I Bóg mruczy wielkanocne słowo „alleluja". Co to znaczy, babciu?

– To znaczy „chwalcie Boga". A teraz śpij już, Martuniu. Dobranoc.

Mały Pożeracz Ciastek

– Opowiedz mi dziś bajkę, ale najdziwniejszą, jaką znasz.

– Dobrze. Posłuchaj bajdurki o Małym Pożeraczu Ciastek.

Babcia zabroniła mi zaglądać do starego kredensu, który stał w składziku. A kredens kusił mnie bardzo, bo mieścił w sobie całe mnóstwo ciekawych rzeczy. Były tam szeleszczące paczuszki jakichś nasionek, stare listy obwiązane wstążeczkami, kawałki świec, pęczuszki barwnych piórek i stare kapelusze, **14** pudełeczka gwoździków i śrubek, kolorowe puszki po kawie i herbacie, a w nich zeschnięte ciasteczka. Były też okrągłe pudełka z guzikami, klamerkami i tasiemkami.

Mimo zakazu wykorzystywałam oczywiście każdą okazję, żeby pogrzebać w tych skarbach. Kiedyś wzięłam sobie dwa metalowe guziki od munduru. Ależ była awantura! Babcia powiedziała, że pamiątki po pradziadku nie są do zabawy i że stanowczo mi zabrania wsadzać nos do kredensu.

Następnego dnia dostałam pudełko kredek i zeszyt do rysowania. I właśnie wtedy wymyśliłam Małego Pożeracza Ciastek. Narysowałam wnętrze kredensu, a w nim zwierzątko podobne do łasicy, ale o dwu głowach i dwu parach oczu świecących na czerwono i zielono. Miało sześć łapek.

Po jakimś czasie nie wytrzymałam i znów buszowałam w kredensie. Babcia oczywiście nakrzyczała na mnie. Tym razem mogłam się bronić – to nie ja, to Mały Pożeracz Ciastek myszkuje w kredensie, bo tam się zagnieździł, **15**

powiedziałam.
I zaraz pokazałam
babci jego
podobiznę. Babcia
śmiała się do łez
i poprosiła, żeby
się jak najszybciej
stamtąd
wyprowadził.

– Wiesz, babciu,
lubię te twoje
dziwne dobranocki.
– Cieszy mnie to.
A teraz śpij już,
kochanie.
Kolorowych snów.

Czarny kogucik

– Martuniu, czy dziś na dobranoc może być bajka o czarnym koguciku?

– No niech będzie.

Pewna dropiata kwoka wysiadywała jaja. Kilka razy dziennie wyskakiwała z kojca, pośpiesznie dziobała ziarno, piła wodę i wracała do gniazda wymoszczonego słomą. Rozpościerała skrzydła, okrywając sobą cieplutkie, białe jaja, i zapadała w drzemkę.

Po trzech tygodniach zaczęły się wykluwać pisklęta. Jedno po drugim przebijały dziobkami skorupkę i gramoliły się na świat. Wylęgło się **18** tylko siedmioro kurcząt, ale kura nie zaprzątała sobie tym głowy. Nie pierwszy raz już miała dzieci, ale i tym razem była zdumiona, skąd się wzięły te żółte, popiskujące kulki. Na ich widok zagdakała z radości.

Wiosna była bardzo ciepła, więc od rana aż do zmierzchu kura wodziła kurczaki za sobą po podwórku. Pokazywała im, co się nadaje do jedzenia, a co nie, i jak się wygrzebuje z ziemi pokarm. Była dobrą, troskliwą matką i nieustannie strzegła ich bezpieczeństwa.

Tygodnie mijały i nie wiadomo kiedy jej dzieci porosły w piórka. Trzy kurki i trzy koguciki były białe, a jeden kogucik był czarny. Stały się tak samodzielne i odważne, że nie potrzebowały już matczynej opieki. Uważały, że są mądrzejsze od mamy. Białe kurczaki trzymały się razem i nie chciały się bawić z czarnym kogucikiem. Biły go i odpędzały od siebie. Gdakały wrogo: „Idź sobie, bo jesteś inny, czarny, brzydki". Było mu smutno i źle, bo czuł się odrzucony i bardzo samotny. Pewnego razu, kiedy go znowu

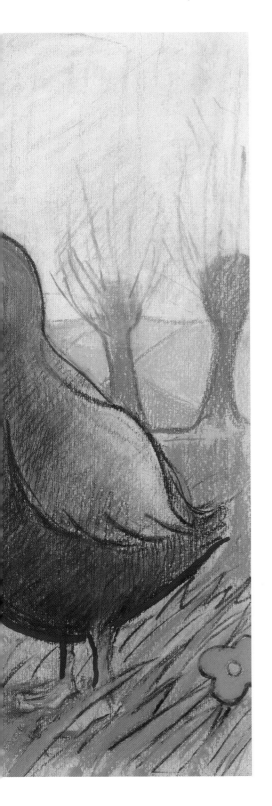

odpędziły od zabawy, popłakał się. Wszystko to widział kogut, ojciec kurczaków i zarazem gospodarz podwórka. Pomyślał: „Ależ głupiutkie są te moje dzieci. Najwyższa pora się nimi poważnie zająć". Zwołał gromadkę i powiedział: „Zamknijcie na moment oczy. Wyobraźcie sobie, że odtąd już na zawsze macie czarne piórka – od samej głowy aż po najdłuższe piórko w ogonie. Nie otwierajcie jeszcze oczu i wyobraźcie sobie, że wasz brat ma białe piórka…". Przez dłuższą chwilę wszyscy milczeli, a sześć białych

21

kurczaków miało niewyraźne miny. Nagle kogut napuszył się i zapiał: „Niech żyją moje mądre dzieci, bo chyba coś zrozumiały!". Wtedy białe kurczaki obstąpiły czarnopiórego brata i jeden przez drugiego piszczały: „Przepraszam, przepraszam, już nigdy, bardzo przepraszam...".

— Czy wiesz, Martuniu, co białe kurczaki zrozumiały?

— Jak ktoś jest inny, to wcale nie jest gorszy — odpowiedziała dziewczynka i natychmiast zasnęła.

Diabeł Szwarc

– Czy chcesz dziś bajkę o diable?

– Dobrze, babciu.

– No to posłuchaj.

W bardzo dawnych czasach świat wyglądał zupełnie inaczej. Dobro było dobrem, zło złem, toteż ludzie odróżniali je bez trudu. Zimy były ongiś mroźniejsze, lata gorętsze, cukier słodszy, a sól bardziej słona. Po świecie wędrowały diabły i anioły. Diabłom chodziło zawsze o jedno – żeby namówić człowieka do grzechu i zdobyć jego duszę. Bardzo często to się im udawało. Nie udało się jednak nigdy diabłu Szwarcowi. Był tak nieudolny w czynieniu zła, **23**

że w piekle postanowiono skreślić go z listy diabłów i na zawsze pozostawić na ziemi.

W pewną upalną sierpniową niedzielę słońce już zachodziło, lecz żar wciąż lał się z nieba. „Piekielny upał", mruknął diabeł Szwarc, zmęczony całodzienną wędrówką. Postanowił wleźć do rzeki. Okolica była bezludna, więc zdjął ubranie i słomiany kapelusz, pod którym skrywał rogi. Wskoczył do wody i pływał przez dłuższą chwilę. Potem przysiadł na drzewie, moczył nogi i rozmyślał, co tu dalej ze sobą zrobić. Przecież diabły go nie lubią, a ludzie stronią od niego, czując, że jest kimś obcym. Głowa mu opadła i się zdrzemnął. Przyśniło mu się, że jest myszą w szponach wielkiego kocura. Był śmiertelnie przerażony **25**

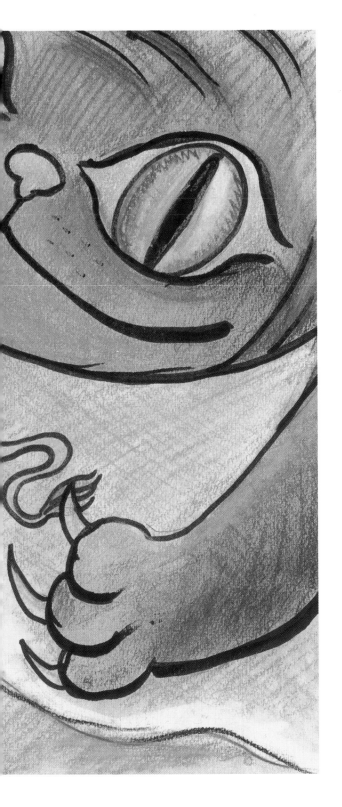

i jednocześnie
serdecznie żal mu
było myszy.

Kiedy się ocknął,
wiedział, że myślał
tak jak człowiek –
był zdolny do litości
i współczucia dla
słabego stworzenia.
Podniósł głowę i na
środku rzeki
zobaczył dwa anioły.
Był pewien, że
znowu śni.

Oto dwie wiotkie,
skrzydlate istoty
spokojnie brodziły
w wodzie.
Z wdziękiem unosiły
białe szatki
i najwyraźniej
chciały się ochłodzić. **27**

Coś tam do siebie cicho mówiły, a chwilami chyba nawet nuciły. Patrzył na nie jak urzeczony i bał się poruszyć, żeby się nie spłoszyły. Tymczasem na niebie kołował potężny, stary orzeł. Drapieżca wzrok miał mniej bystry niż dawniej, toteż był przekonany, że w wodzie brodzą dwa białe żurawie o błyszczących czubach. Już czuł w szponach łatwą zdobycz, bo ptaki były dziwnie niezdarne. Błyskawicznie spadł w dół i zaatakował większego żurawia wprost z lotu. Zakotłowało się i orzeł nagle pojął, że wzrok go zawiódł. To wcale nie były żurawie. Wypuścił ze szponów białe skrzydło i wzbił się w powietrze, a w tej samej chwili ktoś wrzasnął: „Na Boga, odlatujcie!". I anioły z furkotem skrzydeł poszybowały w dal...

29

Lucyfer w piekle jęknął: „Już nigdy nie chcę nawet słyszeć o tym głupim Szwarcu! Wzywając imię Boga, zaprzeczył swojej diabelskiej naturze i przestał być diabłem!".

– Babciu, a co z nim później było?
– Och, to już zupełnie inna bajka. Dobranoc, kochanie.

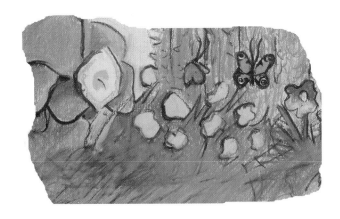

Ogród

– Babciu, dziś opowiedz mi o tym, jak to było, kiedy byłaś mała.

– Naprawdę chcesz? No więc posłuchaj.

Dawno, dawno temu była sobie czarnowłosa dziewczynka, Hanulka. Odkąd nauczyła się dobrze czytać, odkryła, że czytanie książek to wielka przyjemność. Najbardziej oczywiście lubiła książki z bajkami. Po jakimś czasie przeczytała wszystkie bajki ze szkolnej biblioteki. Pomyślała sobie, że chciałaby sama **31**

ułożyć jakąś bajkę. Nawet napisała pierwsze zdanie, a brzmiało ono tak: „Za górami, za morzami, w pewnej dalekiej krainie żył sobie okropny czarownik, który tak nie lubił dzieci, że postanowił zabrać im wszystkie bajki".

Zaczęły się wakacje i przez całe dwa miesiące Hanulka mogła być na wsi u babci i dziadka, tam gdzie był jej tajemniczy młyn i zaczarowany ogród. W ogrodzie stała drewniana szopka kryta słomą. Dorośli mówili na nią składzik albo brzydko: graciarnia. Tego lata Hanulka odkryła, że to, co jest w szopce, to po prostu **33**

dalszy ciąg jej bajki, i całe wakacje tę bajkę sobie układała. Oto ten okropny czarownik zgromadził w szopce wszystkie czarodziejskie przedmioty, które ukradł z różnych bajek. Odkąd w bajkach zabrakło czarów, przestały być bajkami i zaniknęły.

To była wielka tajemnica Hanulki, że wielkie stare buty to buty siedmiomilowe. Zepsute cepy, które się już nie nadawały do młócenia zboża, były oczywiście kijami-
-samobijami. Mosiężną **35**

lampę, którą wyczyściła do blasku, zamieszkiwał rzecz jasna dżin, duch tej lampy. Wypłowiała czapka, wisząca w kącie na wieszaku, była czapką-niewidką. Co tam jeszcze było? Naturalnie stolik, który spełniał rozkaz: „stoliczku, nakryj się", no i jeszcze bułka-
-odrostka oraz mydła grudka-urody przywrótka, a nawet czarodziejski pierścień, który przypominał mosiężną nakrętkę. **37**

Kiedyś Hanulka spędzała święta Bożego Narodzenia u dziadków. Postanowiła pójść do ogrodu i zajrzeć do szopki...

– Babciu, ja już chcę spać. Wolałabym, żebyś mi opowiedziała każdą bajkę osobno, bo ja już nie wiem, co było naprawdę, a co ta Hanulka sobie wymyśliła. Dobranoc, babciu.

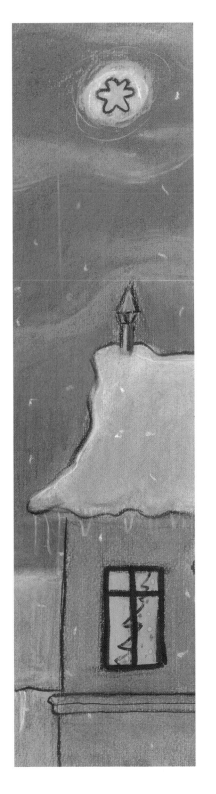

Gwiazda

– Babciu, dlaczego
w Wigilię wypatruje się
pierwszej gwiazdy?
– Zaraz to wyjaśnię,
a potem powiedzą ci to słowa
bardzo starej kolędy, którą
dziś już mało kto zna.
Posłuchaj, Martuniu.
Wypatrywanie wigilijnej
gwiazdy to miły obyczaj,
który przypomina o bardzo
jasnej gwieździe sprzed dwu
tysięcy lat, kiedy to urodził
się Pan Jezus w betlejemskiej

stajence. Właśnie ta gwiazda zaprowadziła trzech uczonych mędrców z dalekiego kraju prosto do miejsca, gdzie leżało w żłobie Dzieciątko Jezus. Mówi się też, że byli oni królami, a ich imiona to Kacper, Melchior i Baltazar.
6 stycznia są ich imieniny.
Obchodzimy wtedy święto Trzech Króli.

Gwiazda, gwiazda nad stajnią płonie.
Ona świeciła w dalekiej stronie,
Za jej promieniem Królowie biegli,
W końcu Chrystusa tutaj spostrzegli.
Mirrę, złoto, kadzidło dali,
W małej Dziecinie Boga uznali.

Śpieszmy, śpieszmy do tej stajenki,
Gdzie Bóg zrodzony z czystej Panienki.
Witajmy, prośmy Bożą Dziecinę,
Niech błogosławi naszą krainę,
Niech wesprze w każdej potrzebie,
Stąd zaś zabierze do chwały w niebie.

Okładkę wykonał:
Michał Bernaciak

Redaktor prowadzący:
Maria Magdalena Miłaszewska

Redaktor techniczny:
Bożena Nowicka

Korekta:
Teresa Kępa

© Copyright by Dom Wydawniczy Bellona, Warszawa 2004

Dom Wydawniczy Bellona prowadzi sprzedaż wysyłkową
swoich książek za zaliczeniem pocztowyn z 20-procentowym
rabatem od ceny detalicznej.
Nasz adres: Dom Wydawniczy Bellona
ul. Grzybowska 77, 00-844 Warszawa
Dział Wysyłki tel. (22) 45 70 306, 652 27 01
fax. (22) 620 42 71
e-mail: biuro@bellona.pl
Internet: http://www.bellona.pl

ISBN 83-1109987-1

3 1125 00586 4598